Pas plus de 15 minutes de préparation pour satisfaire à la gourmandise sucrée d'un bon moelleux, aussi attirant qu'un oreiller en duvet d'oie un soir de grosse fatigue.

Pas plus de 15 minutes pour sentir couler chocolat, caramel… au fond de sa gorge et se laisser envahir par un plaisir brut, pur moment de gourmandise.

Toutes ces recettes sont simples à réaliser, elles ne demandent que peu de temps de préparation, parfois un peu de repos. Elles surprennent, elles rassurent, elles comblent, elles coulent, elles s'amusent, elles vivent !

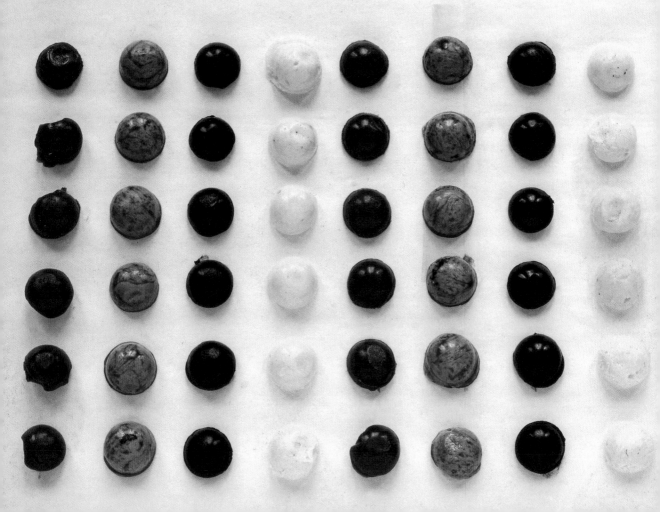

moelleux & cœurs coulants

Paul Simon
Photographies de Akiko Ida
Stylisme de Stéphanie Huré

ATTENTION, CUISSON DÉLICATE !
La cuisson des moelleux et des cœurs coulants est très délicate, comme celle de toutes pâtisseries,
la température des fours n'est pas toujours fiable et peut considérablement varier d'un modèle
à chaleur tournante, traditionnel ou à gaz.
La plupart de ces recettes ont été testées avec des moules en inox de 70 mm de diamètre et de 45 mm de
hauteur ; la taille des moules ou des emporte-pièces peut considérablement modifier les temps de cuisson
et les textures des gâteaux.
Il est donc nécessaire de vérifier la cuisson.

LES PETITS PLATS
MARABOUT
ORIGINAUX & AUTHENTIQUES
DEPUIS L'AN 2000

sommaire

le matériel

pour la cuisson

Les cercles et les emporte-pièces
Ronds, carrés, en forme de cœur, ils sont très pratiques
pour cuire des moelleux individuels. Il suffit de
les tapisser de papier sulfurisé et de les poser sur
une plaque à pâtisserie (elle-même recouverte de
papier sulfurisé) : décollez-les à l'aide d'une spatule
métallique et ôtez le cercle : démoulage parfait !

Les moules en aluminium et les caissettes en papier
Ils sont également très utiles : les moules en aluminium
beurrés et farinés sont très faciles à manipuler ; les
caissettes en papier permettent d'éviter le démoulage,
et elles sont décoratives : idéal pour vos pique-niques.

Les plaques de moules en silicone
On en trouve de toutes formes. Ils ne sont cependant
pas toujours adaptés pour la cuisson des moelleux, car,
en plaque de 6, leur manipulation se révèle délicate.
Pour les cœurs très coulants, ils risquent de vous rendre
la tâche ardue. Pensez à tapisser le fond des moules
de petits ronds de papier sulfurisé pour ne pas
en perdre une miette !

pour les cœurs

Une plaque de demi-sphères en silicone sera votre
meilleure alliée pour réaliser les petits cœurs
de ganache (voir page 28). Vous pouvez également
varier les formes ou utiliser des moules à glaçons.

customiser les moelleux

Les recettes de mi-cuits basiques que vous trouverez dans les pages
suivantes peuvent tout à fait suffire à satisfaire les gourmands.
Mais la confiserie offre aujourd'hui une panoplie de produits
que l'on peut utiliser en pâtisserie.

N'hésitez plus, piochez dans les rayons de barres chocolatées,
de bonbons, de pâtes à tartiner, de confitures et autres chocolats,
pralines et gourmandises.

Si vous glissez un morceau de l'un ou quelques cuillerées à café de l'autre,
vous transformerez vos mi-cuits en véritables desserts surprise :
un maximum d'effet pour un minimum d'effort…

Laissez aller votre imagination : des centaines de combinaisons
s'offrent à vous !

le vrai mi-cuit chocolat noir

140 g de chocolat noir (70 % de cacao)
110 g de beurre
3 c. à s. de crème fleurette
1 c.à s. de farine
1 c. à s. de Maïzena
50 g de sucre roux
2 œufs

1. Préchauffer le four à 200 °C(th. 6-7). Beurrer et fariner (ou chemiser de papier sulfurisé) 4 emporte-pièces puis les disposer sur plaque recouverte de papier sulfurisé.

2. Mélanger les œufs et le sucre roux, battre jusqu'à ce que le mélange blanchisse. Ajouter la farine tamisée et la Maïzena, continuer de battre.

3. Faire fondre le chocolat, le beurre et la crème fleurette au bain-marie.

4. Incorporer le chocolat au mélange œuf-sucre-farine jusqu'à obtenir une pâte bien lisse.

5. Remplir les emporte-pièces de pâte au chocolat, enfourner et cuire pendant 6 à 7 minutes. Les gâteaux doivent être très moelleux au toucher. Démouler et servir aussitôt.

*Si vous décidez de garnir de chocolat noir,
de confiture… ou de tout autre chose gourmande
un mi-cuit au chocolat noir, il est important de laisser
reposer la pâte crue au réfrigérateur 1 heure au moins
avant de l'utiliser afin qu'elle soit plus compacte.*

4 variations autour d'un mi-cuit chocolat noir

Réaliser la pâte du mi-cuit (voir page précédente).
Verser la pâte dans des moules individuels beurrés et farinés,
à la moitié, puis poser sur la pâte…

tout choco (EN HAUT À GAUCHE)
2 carrés de chocolat noir

cœur confiture de lait (EN HAUT À DROITE)
1 cuillerée à café de confiture de lait

cœur praliné (EN BAS À GAUCHE)
1 carré de pralinoise

cœur cerise noire (EN BAS À DROITE)
1 cuillerée à café de confiture de cerise noire

… puis recouvrir de pâte jusqu'aux deux tiers des moules. Cuire comme indiqué.

En cas de souci lors du démoulage, laisser le moelleux refroidir afin de faciliter l'opération, puis le passer quelques secondes au micro-ondes pour le réchauffer.

mi-cuits chocolat au lait

150 g de chocolat au lait
40 g de beurre
1 c. à s. de farine
80 g de sucre
3 œufs

1. Préchauffer le four à 200 °C (th. 6-7). Beurrer et fariner (ou chemiser de papier sulfurisé) 4 emporte-pièces puis les disposer sur plaque recouverte de papier sulfurisé.

2. Mélanger les œufs et le sucre, battre jusqu'à ce que le mélange blanchisse. Ajouter la farine tamisée et continuer de battre.

3. Faire fondre le chocolat au lait et le beurre au bain-marie.

4. Incorporer le chocolat au mélange œuf-sucre-farine jusqu'à obtenir une pâte bien lisse.

5. Remplir les emporte-pièces de pâte au chocolat au lait, enfourner et cuire pendant 6 à 7 minutes. Les gâteaux doivent être très moelleux au toucher. Démouler et servir aussitôt.

Le temps de cuisson définit le côté plus ou moins liquide du mi-cuit.

4 variations autour d'un mi-cuit chocolat au lait

Réaliser la pâte du mi-cuit (voir page précédente).
Verser la pâte dans des moules individuels beurrée et farinés,
à la moitié, puis poser sur la pâte…

tout chocolait (EN HAUT À GAUCHE)
2 carrés de chocolat au lait

cœur Twix (EN HAUT À DROITE)
½ barre de Twix écrasée et roulée en boule

cœur praliné (EN BAS À GAUCHE)
2 caramels mous ramollis et roulés en boule

cœur Nutella (EN BAS À DROITE)
1 cuillerée à café de Nutella

… puis recouvrir de pâte jusqu'aux deux tiers des
moules. Cuire comme indiqué.

*Les combinaisons sont interchangeables
d'un mi-cuit à l'autre…*

mi-cuits chocolat blanc

130 g de chocolat blanc
60 g de beurre
2 c. à s. de crème fleurette
3 c.à s. de farine
1 c. à s. de poudre d'amande
75 g de sucre
3 œufs

1. Préchauffer le four à 200 °C (th. 6-7). Beurrer et fariner (ou chemiser de papier sulfurisé) 4 emporte-pièces puis les disposer sur plaque recouverte de papier sulfurisé.

2. Mélanger les œufs et le sucre, battre jusqu'à ce que le mélange blanchisse. Ajouter la farine tamisée, la poudre d'amande et continuer de battre.

3. Faire fondre le chocolat, le beurre et la crème fleurette au bain-marie tiède (le chocolat blanc ne doit pas trop monter en température).

4. Incorporer le chocolat au mélange œuf-sucre-farine jusqu'à obtenir une pâte bien lisse.

5. Remplir les emporte-pièces de pâte au chocolat blanc aux deux tiers, enfourner et cuire pendant 6 à 7 minutes. Les gâteaux doivent être très moelleux au toucher. Démouler et servir aussitôt.

Vous pouvez utiliser des moules en silicone,
mais le démoulage sera un peu plus périlleux.

4 variations autour d'un mi-cuit chocolat blanc

Réaliser la pâte du mi-cuit (voir page précédente).
Verser la pâte dans des moules individuels beurrés et farinés,
à la moitié, puis poser sur la pâte…

tout chocolat blanc (EN HAUT À GAUCHE)
2 carrés de chocolat blanc

cœur groseille (EN HAUT À DROITE)
1 cuillerée à café de confiture de groseilles

cœur nougat (EN BAS À GAUCHE)
1 nougat (ou ½ Nougatti) mou ramolli et roulé
en boule

cœur crème de marrons (EN BAS À DROITE)
1 cuillerée à café de crème de marrons

… puis recouvrir de pâte jusqu'aux deux tiers des
moules. Cuire comme indiqué.

Afin de varier les plaisirs et les découvertes, vous
pouvez préparer à l'avance des bases à conserver
au congélateur (dans un moule silicone).

caramel coulant

150 g de sucre
6 c. à s. de crème fleurette
100 g de beurre demi-sel
4 œufs
140 g de farine

1. Préchauffer le four à 180 °C (th. 6). Beurrer et fariner (ou chemiser de papier sulfurisé) 4 emporte-pièces puis les disposer sur plaque recouverte de papier sulfurisé.

2. Dans une casserole, faire un caramel avec le sucre et 1 cuillerée à soupe d'eau. Laisser cuire jusqu'à obtenir une belle coloration.

3. Ajouter le beurre demi-sel et la crème fleurette, laisser tiédir.

4. Ajouter ensuite les œufs et la farine tamisée.

5. Remplir les emporte-pièces de pâte aux trois quarts. Enfourner et cuire pendant 7 à 8 minutes. Démouler délicatement et servir aussitôt.

Comme pour un mi-cuit au chocolat, c'est le temps de cuisson
qui définit le côté plus ou moins liquide du cœur de caramel.

moelleux pistache, cœur de calisson

MOELLEUX PISTACHE
100 g de pistaches non salées
1 c. à c. de pâte de pistache
1 œuf + 1 jaune
100 g de sucre glace
70 g de beurre
6 c. à s. de crème fleurette

CŒUR DE CALISSON
10 calissons traditionnels
3 c. à s. de crème fleurette

1. Pour le moelleux, mixer finement les pistaches afin de les réduire en poudre. Faire fondre le beurre au micro-ondes.

2. Mélanger l'œuf et le jaune avec le sucre glace. Incorporer la crème, la pâte de pistache et le beurre fondu, puis placer la pâte au frais.

3. Pour les cœurs, mixer les calissons et la crème fleurette. Mouler des boules entre vos mains, puis les mettre au congélateur pendant 1 heure.

4. Préchauffer le four à 200 °C (th. 6-7). Beurrer et fariner (ou chemiser de papier sulfurisé) 4 emporte-pièces puis les disposer sur plaque recouverte de papier sulfurisé. Les remplir de pâte aux deux tiers. Disposer au milieu un cœur de calisson. Enfourner et cuire pendant 10 minutes.

La pistache se marie divinement bien avec le chocolat ; alors, n'hésitez pas à faire l'expérience de cœurs cacaotés dans ce moelleux.

tout marron

MOELLEUX AU MARRON
200 g de crème de marrons
50 g de brisures de marrons glacés
60 g de beurre
2 œufs
30 g de farine

CŒUR DE MARRON
50 g de crème de marrons
1 c. à s. de crème épaisse

1. Pour le moelleux, faire fondre le beurre au micro-ondes. Battre les œufs en omelette, ajouter le beurre fondu, la farine et la crème de marrons. Incorporer les brisures de marrons glacés.

2. Pour le cœur, mélanger la crème de marrons et la crème épaisse.

3. Beurrer et fariner (ou chemiser de papier sulfurisé) 4 emporte-pièces puis les disposer sur plaque recouverte de papier sulfurisé. Les remplir de pâte aux trois quarts, puis placer au réfrigérateur 30 minutes avant utilisation.

4. Préchauffer le four à 180 °C (th. 6). Sortir les emporte-pièces du réfrigérateur, ajouter, au centre de chaque moelleux, 1 cuillerée à café de crème de marrons. Enfourner et cuire pendant 7 à 8 minutes. Démouler délicatement.

Quoi de plus naturel que de rajouter sur ce moelleux une cuillère de crème fouettée nature et, pourquoi pas, quelques brisures de meringues afin de lui donner un côté croustillant… Miam !

tout amande

MOELLEUX AMANDE
100 g de poudre d'amande
100 g de sucre glace
70 g de beurre
6 c. à s. de crème fleurette
1 œuf + 1 jaune
quelques gouttes d'amande amère

CŒUR D'AMANDE
50 g de pâte d'amande
1 c. à s. de crème fleurette
25 g de chocolat blanc

1. Pour le moelleux, faire fondre le beurre au micro-ondes. Mélanger les œufs, le sucre et la poudre d'amande. Incorporer la crème et le beurre fondu, puis ajouter quelques gouttes d'amande amère.

2. Verser la pâte dans 4 moules à muffin individuels ou des caissettes en papier, puis les placer au frais 30 minutes.

3. Pour le cœur, mixer la pâte d'amande et la crème fleurette. Faire fondre le chocolat blanc sur un bain-marie tiède, puis l'ajouter à la crème d'amande.

4. Préchauffer le four à 180 °C (th. 6). Sortir les moules du réfrigérateur, disposer, au centre de chaque moelleux, 1 cuillerée à café de cœur d'amande. Enfourner et cuire pendant 7 à 8 minutes.

Le fruit et l'amande s'allient sans aucune modération ; alors, une bonne cuillère à café d'une bonne confiture maison au cœur du moelleux, et hop, voici un nouveau gâteau !

cœurs de ganache

Une autre façon d'obtenir un effet coulant consiste à réaliser des cœurs à base de chocolat : des ganaches. Elles permettent de nombreuses combinaisons et peuvent être préparées à l'avance. La technique est la même avec tous les chocolats (blanc, noir ou au lait).

1. Faire fondre le chocolat au bain-marie avec la crème et l'arôme. Mélanger pour obtenir une pâte bien homogène.
(EN HAUT À DROITE)

2. Mouler des demi-sphères de ganache dans un moule en silicone (ou un bac à glaçons). Placer au réfrigérateur (ou au congélateur selon la recette).
(EN BAS À GAUCHE)

Au moment d'enfourner, démouler les cœurs de ganache, former une boule avec 2 demi-sphères et la placer au centre de la pâte.
(EN BAS À DROITE)

CŒUR FRAMBOISE
200 g chocolat blanc
100 g de framboises écrasées
50 g de coulis de framboise

CŒUR PISTACHE
200 g chocolat blanc
2 c. à s. de crème fleurette
2 c. à s. de pâte de pistache

CŒUR CHOCOLAT BLANC
200 g de chocolat blanc
50 g de beurre
2 c. à s. de crème fleurette

CŒUR CHOCOLAT NOIR
200 g de chocolat noir
70 g de beurre
5 c. à s. de crème fleurette

CŒUR CHOCOLAT AU LAIT
200 g chocolat lait
50 g de beurre
4 c. à s. de crème fleurette

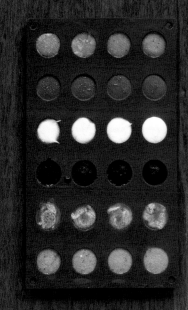

chocolat noir, cœur à l'orange

MOELLEUX CHOCOLAT NOIR
140 g de chocolat noir (70 % de cacao)
110 g de beurre
3 c. à s. de crème fleurette
1 c. à s. de farine
1 c. à s. de Maïzena
50 g de sucre roux
2 œufs

CŒUR À L'ORANGE
60 g de chocolat au lait
1 trait de Cointreau
1 c. à s. de crème fleurette
10 g d'écorces d'oranges confites
le zeste de 1 orange

1. Pour le cœur, faire fondre le chocolat au lait au bain-marie, la crème fleurette et le Cointreau. Hacher finement les zestes d'orange, les ajouter avec les écorces d'oranges confites au chocolat fondu.

2. Mouler des demi-sphères de ganache dans des moules en silicone. Garder au froid 1 heure avant utilisation.

3. Pendant ce temps, préparer le moelleux. Mélanger les œufs et le sucre roux, fouetter jusqu'à ce que le mélange blanchisse. Ajouter la farine tamisée et la Maïzena, continuer de battre.

4. Faire fondre le chocolat, le beurre et la crème fleurette au bain-marie.

5. Incorporer le chocolat au mélange œuf-sucre-farine jusqu'à obtenir une pâte bien lisse. Laisser reposer la pâte au frais pendant 1 heure.

6. Préchauffer le four à 200 °C (th. 6-7). Beurrer et fariner (ou chemiser de papier sulfurisé) 4 emporte-pièces puis les disposer sur plaque recouverte de papier sulfurisé. Les remplir de pâte. Disposer un cœur orange (2 demi-sphères) au centre en appuyant légèrement. Enfourner et cuire pendant 6 à 7 minutes.

chocolat au lait, cœur Carambar

MOELLEUX CHOCOLAT AU LAIT
150 g de chocolat au lait
40 g de beurre
1 c. à s. de farine
80 g de sucre
3 œufs

CŒUR CARAMBAR
2 Carambar caramel
2 c. à s. de crème fleurette
50 g de chocolat au lait

1. Pour le cœur Carambar, faire fondre au bain-marie les Carambar dans la crème fleurette, ajouter le chocolat au lait.

2. Mouler des demi-sphères de ganache dans un moule en silicone, laisser congeler 1 heure.

3. Pendant ce temps, préparer le moelleux. Mélanger les œufs et le sucre, battre jusqu'à ce que le mélange blanchisse. Ajouter la farine tamisée et continuer de battre. Faire fondre le chocolat au lait et le beurre au bain-marie.

4. Incorporer le chocolat au mélange œuf-sucre-farine jusqu'à obtenir une pâte bien lisse.

5. Préchauffer le four à 200 °C (th. 6-7). Beurrer et fariner 4 moules individuels, les remplir de pâte. Disposer un cœur Carambar (2 demi-sphères) au centre en appuyant légèrement. Enfourner et cuire pendant 6 à 7 minutes.

chocolat noir, cœur de vanille

MOELLEUX CHOCOLAT NOIR
140 g de chocolat noir (70 % de cacao)
110 g de beurre
3 c. à s. de crème fleurette
1 c. à s. de farine
1 c. à s. de Maïzena
50 g de sucre roux
2 œufs

CŒUR DE VANILLE
10 cl de lait
1 gousse de vanille
1 œuf
2 c. à s. de sucre
1 c. à s. de farine
10 g de beurre
2 c. à s. de crème fleurette

1. Pour le cœur, fouetter l'œuf avec le sucre jusqu'à ce que le mélange blanchisse. Ajouter la farine tamisée.

2. Faire bouillir le lait avec le beurre et la gousse de vanille grattée. Verser le tout sur les œufs blanchis, mélanger, remettre dans la casserole et cuire à feu doux pendant 10 minutes en remuant souvent, jusqu'à épaississement de la crème. Jeter la gousse de vanille.

3. Laisser refroidir la crème pâtissière. Quand la crème pâtissière est tiède, fouetter la crème fleurette très froide jusqu'à ce qu'elle soit bien ferme. L'incorporer à la crème pâtissière à l'aide d'une maryse.

4. Mouler des demi-sphères de crème vanille dans un moule en silicone, laisser congeler 1 heure.

5. Pendant ce temps, préparer le moelleux. Mélanger les œufs et le sucre roux, battre jusqu'à ce que le mélange blanchisse. Ajouter la farine tamisée et la Maïzena, continuer de battre. Faire fondre le chocolat avec le beurre et la crème fleurette au bain-marie. Mélanger les deux appareils afin d'obtenir un mélange bien lisse. Laisser reposer la pâte 1 heure au frais.

6. Préchauffer le four à 200 °C (th. 6-7). Beurrer et fariner les moules en silicone, les remplir de pâte. Disposer un cœur vanille (2 demi-sphères) au centre en appuyant légèrement. Enfourner et cuire pendant 6 à 7 minutes.

chocolat noir, cœur de café

MOELLEUX CHOCOLAT NOIR
140 g de chocolat noir (70 % de cacao)
110 g de beurre
3 c. à s. de crème fleurette
1 c.à s. de farine
1 c. à s. de Maïzena
50 g de sucre roux
2 œufs

CŒUR DE CAFÉ
½ tasse de café espresso
50 g de chocolat noir
1 c. à s. de crème fleurette

1. Pour le cœur, faire fondre au bain-marie le chocolat noir, le café et la crème fleurette.

2. Mouler des demi-sphères de ganache dans un moule en silicone, laisser congeler 1 heure.

3. Pendant ce temps, préparer le moelleux. Mélanger les œufs et le sucre roux, battre jusqu'à ce que le mélange blanchisse. Ajouter la farine tamisée et la Maïzena, continuer de battre.

4. Faire fondre le chocolat, le beurre et la crème fleurette au bain-marie.

5. Incorporer le chocolat au mélange œuf-sucre-farine jusqu'à obtenir une pâte bien lisse.

6. Préchauffer le four à 200 °C (th. 6-7). Beurrer et fariner (ou chemiser de papier sulfurisé) 4 emporte-pièces puis les disposer sur plaque recouverte de papier sulfurisé. Les remplir de pâte. Disposer un cœur café (2 demi-sphères) au centre en appuyant légèrement. Enfourner et cuire pendant 6 à 7 minutes.

chocolat noir, cœur de framboise

MOELLEUX CHOCOLAT NOIR
140 g de chocolat noir (70 % de cacao)
110 g de beurre
3 c. à s. de crème fleurette
1 c.à s. de farine
1 c. à s. de Maïzena
50 g de sucre roux
2 œufs

CŒUR DE FRAMBOISE
30 g de coulis de framboises
30 g de chocolat blanc
10 g de framboises
2 c. à s. de crème fleurette

1. Pour le cœur de framboise, faire fondre le chocolat blanc au bain-marie tiède, ajouter la crème fleurette, le coulis et les framboises grossièrement hachées. Mouler des demi-sphères de ganache dans des moules en silicone. Passer au congélateur 1 heure.

2. Pendant ce temps, préparer le moelleux. Mélanger les œufs et le sucre roux, battre jusqu'à ce que le mélange blanchisse. Ajouter la farine tamisée et la Maïzena, continuer de battre. Faire fondre le chocolat, le beurre et la crème fleurette au bain-marie.

3. Incorporer le chocolat au mélange œuf-sucre-farine jusqu'à obtenir une pâte bien lisse.

4. Préchauffer le four à 200 °C (th. 6-7). Beurrer et fariner (ou chemiser de papier sulfurisé) 4 emporte-pièces puis les disposer sur plaque recouverte de papier sulfurisé. Les remplir de pâte. Disposer un cœur de framboise (2 demi-sphères) au centre en appuyant légèrement. Enfourner et cuire 7 à 8 minutes.

La framboise fraîche est l'alliée de ce coulant : elle apporte une petite touche d'acidité pour un bel équilibre.

moelleux framboise, cœur chocolat noir

MOELLEUX FRAMBOISE
200 g de coulis de framboises
50 g de framboises fraîches
3 œufs
2 c. à s. bien pleines de Maïzena
80 g de sucre

CŒUR CHOCOLAT NOIR
70 g de chocolat noir
20 g de beurre
3 c. à s. de crème fleurette

1. Pour le cœur, faire fondre le chocolat noir au bain-marie avec le beurre et la crème fleurette. Mouler les ganaches dans des moules en silicone, placer au congélateur 1 heure.

2. Pendant ce temps, préparer le moelleux. Couper les framboises grossièrement.

3. Fouetter les œufs avec le sucre, ajouter la Maïzena, le coulis de framboises puis les framboises.

4. Préchauffer le four à 200 °C (th. 6-7). Beurrer et fariner 4 moules individuels, les remplir de pâte aux deux tiers. Disposer dans chaque moule un cœur chocolat noir, l'enfoncer légèrement. Enfourner et cuire pendant 6 à 7 minutes. Démouler délicatement.

Un peu de mascarpone légèrement sucré,
une pointe de cannelle, quelques graines
de coriandre, et vous voilà enchanté par de nouvelles
saveurs autour de la framboise et du chocolat.

choco-vanille, cœur chocolat au lait

BASE CHOCO-VANILLE
125 g de beurre
110 g de farine
90 g de sucre
2 œufs
1 gousse de vanille
40 g de cacao
10 cl de crème fleurette

CŒUR CHOCOLAT AU LAIT
100 g chocolat au lait
50 g de beurre
2 c. à s. de crème fleurette

1. Pour la pâte marbrée choco-vanille, faire fondre le beurre au micro-ondes. Tamiser la farine, ajouter les œufs un à un, puis le sucre et le beurre fondu. Mélanger afin d'obtenir une texture lisse.

2. Diviser la pâte obtenue en deux, racler les graines de la gousse de vanille et les incorporer à l'une des deux moitiés de pâte.

3. Faire fondre le cacao dans la crème fleurette chaude, puis ajouter ce mélange au reste de la pâte.

4. Verser dans 4 moules en silicone les deux pâtes en les faisant se chevaucher, puis placer au frais 1 heure.

5. Pour le cœur, faire fondre le chocolat au lait et la crème fleurette et le beurre. Mouler des demi-sphères de ganache dans des moules en silicone, laisser congeler 1 heure.

6. Préchauffer le four à 200 °C (th. 6-7). Sortir les moules du réfrigérateur et disposer un cœur de chocolat au lait (2 demi-sphères) au centre de chaque moelleux, en appuyant légèrement, puis enfourner et cuire 10 minutes.

chocolat noir, cœur de pistache

MOELLEUX CHOCOLAT NOIR
140 g de chocolat noir (70 % de cacao)
110 g de beurre
3 c. à s. de crème fleurette
1 c.à s. de farine
1 c. à s. de Maïzena
50 g de sucre roux
2 œufs

CŒUR DE PISTACHE
100 g de chocolat blanc
1 c. à s. de pâte de pistache
10 g de pistaches
3 c. à s. de crème fleurette

1. Pour le cœur de pistache, faire fondre le chocolat blanc avec la pâte de pistache, les pistaches écrasées et la crème fleurette au bain-marie tiède (il ne faut surtout pas trop chauffer le chocolat blanc). Mouler des demi-sphères de ganache dans des moules en silicone, laisser congeler 1 heure.

2. Pendant ce temps, préparer le moelleux. Mélanger les œufs et le sucre roux, battre jusqu'à ce que le mélange blanchisse. Ajouter la farine tamisée et la Maïzena, continuer de battre. Faire fondre le chocolat, le beurre et la crème fleurette au bain-marie.

3. Incorporer le chocolat au mélange œuf-sucre-farine jusqu'à obtenir une pâte bien lisse.

4. Préchauffer le four à 200 °C (th. 6-7). Beurrer et fariner (ou chemiser de papier sulfurisé) 4 emporte-pièces puis les disposer sur plaque recouverte de papier sulfurisé. Les remplir de pâte. Disposer un cœur de pistache (2 demi-sphères) au centre en appuyant légèrement. Enfourner et cuire 6 à 7 minutes.

On trouve la pâte de pistache dans les magasins spécialisés.
Choisissez de préférence une pâte sans adjonction de colorant
pour éviter de vous retrouver avec un cœur trop « fluo ».

choco-menthe

MOELLEUX CHOCOLAT NOIR
140 g de chocolat noir (70 % de cacao)
110 g de beurre
3 c. à s. de crème fleurette
1 c. à s. de farine
1 c. à s. de Maïzena
50 g de sucre roux
2 œufs
1 c. à s. de sirop de menthe blanche

CŒUR VANILLE-MENTHE
10 cl de lait
1 gousse de vanille
1 œuf
2 c. à s. de sucre
1 c. à s. de farine
10 g de beurre
7 c. à s. de crème fleurette
6 feuilles de menthe fraîche finement
 ciselée

1. Pour le cœur, fouetter l'œuf avec le sucre jusqu'à ce que le mélange blanchisse. Ajouter la farine tamisée.

2. Faire bouillir le lait, le beurre et la gousse de vanille grattée. Verser le tout sur les œufs blanchis, mélanger, remettre dans la casserole et cuire à feu doux pendant 10 minutes en remuant souvent, jusqu'à épaississement de la crème. Jeter la gousse de vanille.

3. Laisser refroidir la crème pâtissière. Quand la crème pâtissière est tiède, fouetter la crème fleurette très froide jusqu'à ce qu'elle soit bien ferme. L'incorporer à la crème pâtissière à l'aide d'une maryse, avec la menthe ciselée.

4. Mouler des demi-sphères de crème dans un moule en silicone, laisser congeler 1 heure.

5. Pendant ce temps, préparer le moelleux. Mélanger les œufs et le sucre roux, battre jusqu'à ce que le mélange blanchisse. Ajouter la farine tamisée et la Maïzena, continuer de battre.

6. Faire fondre le chocolat, le beurre et la crème fleurette au bain-marie.

7. Incorporer le chocolat au mélange œuf-sucre-farine jusqu'à obtenir une pâte bien lisse, puis ajouter le sirop de menthe.

8. Préchauffer le four à 200 °C (th. 6-7). Beurrer et fariner 4 moules individuels, les remplir de pâte. Disposer un cœur vanille-menthe (2 demi-sphères) au centre en appuyant légèrement. Enfourner et cuire 6 à 7 minutes.

moelleux aux marrons, cœur de noisette

MOELLEUX AUX MARRONS
200 g de crème de marrons
50 g de brisures de marrons glacés
60 g de beurre
2 œufs
30 g de farine

CŒUR DE NOISETTE
50 g de pralinoise
2 c. à s. de poudre de noisette
2 c. à s. de crème fleurette
10 g de beurre demi-sel

1. Pour le cœur, faire fondre au bain-marie la pralinoise, le beurre et la crème fleurette. Ajouter la poudre de noisette. Mouler dans un bac à glaçons le mélange de noisette, laisser congeler 1 heure.

2. Pendant ce temps, préparer le moelleux. Faire fondre le beurre au micro-ondes. Battre les œufs en omelette, ajouter le beurre fondu, la farine et la crème de marrons, incorporer les brisures de marrons glacés.

3. Beurrer et fariner (ou chemiser de papier sulfurisé) 4 emporte-pièces puis les disposer sur plaque recouverte de papier sulfurisé. Les remplir de pâte aux trois quarts, puis les placer au réfrigérateur 30 minutes avant de les cuire.

4. Préchauffer le four à 180 °C (th. 6). Sortir les emporte-pièces du réfrigérateur et disposer, au centre de chaque, un cœur de noisette. Enfourner et cuire 7 à 8 minutes. Démouler délicatement.

Pour un démoulage parfait, utilisez des cercles en Inox tapissés de papier sulfurisé.

moelleux noisette, cœur de spéculos

MOELLEUX NOISETTE
80 g de poudre de noisette
50 g de noisettes grossièrement hachées
5 spéculos
100 g de sucre glace
70 g de beurre
6 c. à s. de crème fleurette
1 œuf + 1 jaune

CŒUR DE SPÉCULOS
50 g de chocolat au lait
2 c. à s. de crème fleurette
15 g de beurre demi-sel
1 spéculos

1. Préparer le moelleux. Mixer les spéculos afin de les réduire en poudre. Faire fondre le beurre au micro-ondes.

2. Mélanger les œufs, le sucre glace et la poudre de noisette et de spéculos. Incorporer la crème, le beurre fondu, puis les noisettes hachées. Placer la pâte au frais.

3. Pour le cœur, faire fondre le chocolat au lait au bain-marie avec le beurre et la crème fleurette, ajouter le spéculos grossièrement haché. Mouler les ganaches dans des moules en silicone, placer au congélateur 1 heure.

4. Préchauffer le four à 180 °C (th. 6). Beurrer et fariner (ou chemiser de papier sulfurisé) 4 emporte-pièces puis les disposer sur plaque recouverte de papier sulfurisé. Les remplir aux deux tiers de pâte, disposer un cœur de spéculos. Enfourner et cuire 7 à 8 minutes.

Si Bruxelles m'était contée…

moelleux orange, cœur Grand Marnier

MOELLEUX ORANGE
75 g de farine
50 g de semoule moyenne
½ orange
2 œufs
125 g de sucre
125 g de beurre
½ sachet de levure

SIROP
1 orange
50 g de sucre roux
5 cl de Grand Marnier

CŒUR GRAND MARNIER
75 g de chocolat blanc
5 cl de Grand Marnier

1. Pour le cœur, faire fondre au bain-marie tiède le chocolat blanc et le Grand Marnier. Mélanger. Mouler des demi-sphères de chocolat dans des moules en silicone, puis laisser congeler 1 heure.

2. Pendant ce temps, préparer le moelleux. Fouetter les œufs et le sucre jusqu'à ce que le mélange blanchisse. Faire fondre le beurre au micro-ondes.

3. Mélanger la farine, la levure et la semoule, ajouter le beurre fondu et le mélange œuf-sucre. Ajouter le jus et les zestes d'orange, puis placer la préparation au froid.

4. Pour le sirop, presser les oranges, récupérer les zestes. Mélanger au sucre roux et au Cointreau, faire bouillir 5 minutes.

5. Préchauffer le four à 180 °C (th. 6). Beurrer et fariner 6 moules individuels, les chemiser de caissettes en papier. Les remplir de pâte aux deux tiers. Disposer dans chaque moule un cœur Grand Marnier, l'enfoncer légèrement. Enfourner et cuire 15 minutes environ.

6. Arroser de sirop à l'orange à la sortie du four. Démouler une fois que les moelleux ont refroidi.

Variez les plaisirs et osez de nouvelles alliances entre des agrumes et des « eaux » aux vertues hilarantes, tels que le pamplemousse et l'amaretto, le citron et le limoncello…

moelleux gingembre, cœur de mangue

MOELLEUX GINGEMBRE
100 g de beurre
110 g de sucre
110 g de farine
2 œufs
30 g de gingembre
½ sachet de levure

CŒUR DE MANGUE
50 g de mangue
1 c. à c. de miel
50 g de chocolat blanc

1. Pour le moelleux, éplucher le gingembre, le râper. Faire fondre le beurre au micro-ondes. Mélanger la farine à la levure, ajouter les œufs, puis le beurre fondu et le sucre. Incorporer le gingembre râpé. Placer au réfrigérateur.

2. Pour le cœur de mangue, mixer la mangue et le miel. Faire fondre le chocolat blanc au bain-marie tiède, puis incorporer la mangue au chocolat fondu. Mouler des demi-sphères de mélange à la mangue dans des moules en silicone, laisser congeler 1 heure.

3. Préchauffer le four à 180 °C (th. 6). Beurrer et fariner (ou chemiser de papier sulfurisé) 4 emporte-pièces puis les disposer sur plaque recouverte de papier sulfurisé. Les remplir de pâte aux deux tiers, puis disposer, au centre de chaque moule, un cœur de mangue. Enfourner et cuire 10 minutes. Laisser tiédir avant de démouler.

cœurs de fruit minute

C'est l'heure du goûter, c'est l'heure des enfants, c'est le moment de leur faire plaisir
en préparant des pâtes de fruits qui, bientôt, garniront leur gâteau préféré.
Cette recette vaut pour des fruits tels que les framboises, les fraises, les coings, les mûres, les abricots…

500 g de fruits
500 g de sucre

1. Cuire les fruits et le sucre dans une casserole à fond épais
en remuant sans cesse, jusqu'à ce que la préparation se détache
du fond : on peut apercevoir le fond de la casserole pendant
3 à 4 secondes après le passage de la cuillère (45 minutes environ).

2. Verser la pâte de fruits dans un moule en silicone ou dans
un moule recouvert d'une feuille de papier sulfurisé. Laisser sécher,
puis découper en cubes, en rectangles… et rouler dans du sucre
semoule.

3. Au moment de cuire les cakes (voir page suivante), placer les pâtes
de fruits sur la pâte et recouvrir d'un peu de pâte. Conserver les pâtes
de fruits restantes dans une boîte hermétique.

Si vous n'avez pas le courage de faire vous-
même les pâtes de fruits, ça marche aussi très
bien avec celles de votre confiseur préféré !

CHOISISSEZ DES FRUITS DE SAISON BIEN MÛRS.

IL FAUT REMUER SOUVENT POUR QUE LE FOND N'ATTACHE PAS.

LES MOULES À GLAÇONS SONT TRÈS PRATIQUES
POUR PORTIONNER VOS PÂTES DE FRUITS.

NE REMPLISSEZ PAS LES MOULES JUSQU'EN HAUT,
SINON LA PÂTE RISQUE DE DÉBORDER.

mini-cakes moelleux, cœurs de fruits

CAKE
150 g de farine
2 œufs
90 g de beurre
4 c. à s. de crème fleurette
50 g de sucre
½ sachet de levure

1. Faire fondre le beurre au micro-ondes. Fouetter les œufs et le sucre. Incorporer la farine et la levure, puis le beurre et la crème. Bien mélanger afin d'obtenir une pâte souple.

2. Préchauffer le four à 180 °C (th. 6). Verser la pâte aux deux tiers, dans des moules à cake individuels en silicone. Disposer un cœur de fruits (voir page précédente) sur le dessus, l'enfoncer légèrement. Enfourner et cuire 10 minutes.

Selon le cœur de fruit, vous pouvez agrémenter un peu la pâte.

cœur framboise (EN HAUT À GAUCHE)
Ajouter 50 g de framboises fraîches à la base cake.

cœur fraise (EN HAUT À DROITE)
Ajouter une gousse de vanille à la base cake.

cœur mûre (EN BAS À GAUCHE)
Ajouter le zeste et le jus de 1 citron vert à la base cake.

cœur abricot (EN BAS À DROITE)
Ajouter des lanières d'abricots frais sur le dessus du cake.

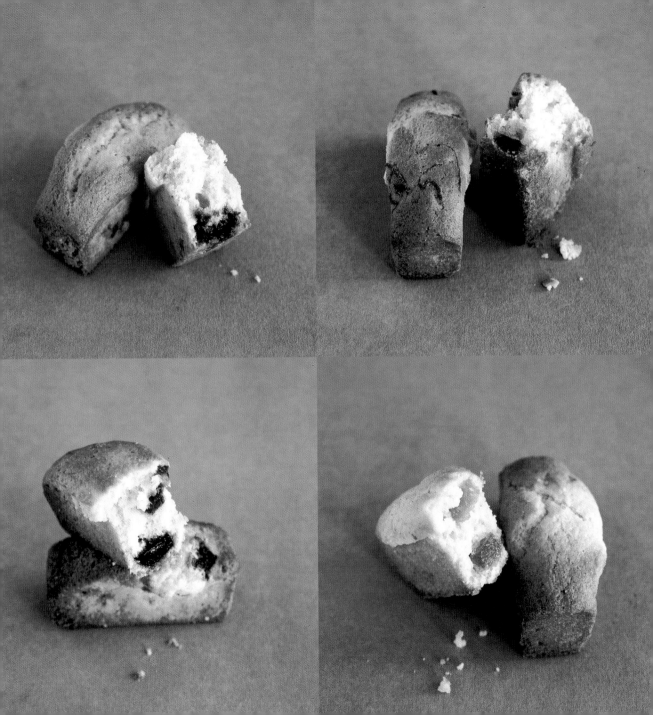

moelleux coco, cœur exotique

MOELLEUX COCO
180 g de noix de coco râpée
100 g de sucre semoule
2 œufs

CŒUR FRUITS EXOTIQUES
100 g de fruits (mangue, ananas…)
50 g de sucre
5 cl de rhum brun

1. Éplucher les fruits exotiques, les mixer en purée.

2. Faire fondre le sucre dans un peu d'eau, attendre qu'il blondisse. Ajouter la purée de fruits exotiques, verser le rhum et faire flamber, laisser réduire jusqu'à ce que le mélange compote.

3. Couler la compotée de fruits à un tiers, dans des petits moules en silicone triangulaires, puis les passer au congélateur 2 heures.

4. Pendant ce temps, préparer la base. Fouetter les œufs et le sucre jusqu'à ce que le mélange blanchisse, ajouter la noix de coco râpée.

5. Préchauffer le four à 180 °C (th. 6). Démouler les glaçons de purée de fruits. Remplir 6 moules aux deux tiers de mélange coco, enfoncer un triangle de fruits, puis recouvrir de mélange coco. Enfourner et cuire 10 minutes.

clafoutis moelleux, cœur de cerise

CLAFOUTIS MOELLEUX
100 g de farine
2 œufs
150 g de lait
10 cl de crème fleurette
50 g de sucre

CŒUR DE CERISE
100 g de cerises mûres
75 g de sucre
5 cl de kirsch

1. Mélanger un à un les œufs à la farine, en prenant soin de ne pas faire de grumeaux. Ajouter le lait et la crème fleurette afin d'obtenir une pâte très fluide.

2. Répartir un tiers de la pâte dans 6 moules en silicone, puis les passer au congélateur 1 heure. Placer le reste de la pâte au froid.

3. Pour le cœur, dénoyauter les cerises, les cuire avec le sucre et le kirsch sur feu doux pendant 1 heure pour obtenir une texture bien compotée, laisser refroidir.

4. Préchauffer le four à 200 °C (th. 6-7). Sortir les moules du congélateur. Disposer 1 cuillerée à café de cerises confites au centre de chaque moule, puis recouvrir de pâte. Enfourner et cuire 10 minutes. Démouler délicatement. Saupoudrer aussitôt de sucre semoule.

La pâte de base est celle d'un clafoutis ; l'idée est vraiment de plonger en son cœur et d'être surpris.
Encore une fois, n'hésitez pas à faire vos propres expériences afin de vous approprier totalement la recette.

muffins à la poire, cœur de figue

MUFFIN À LA POIRE
200 g de farine
150 g de sucre semoule
½ sachet de levure
10 cl de crème fleurette
30 g de beurre
2 œufs
2 poires
le jus de 1 citron

CŒUR DE FIGUE
3 figues sèches
1 figue fraîche
5 cl d'armagnac
50 g de sucre en poudre

1. Éplucher les poires. Couper la première en petits dés ; mixer la seconde avec le jus de citron.

2. Mélanger la farine, la levure et le sucre, ajouter les œufs un à un, le beurre fondu et la crème fleurette, puis les poires en dés et en purée. Placer la pâte au frais 30 minutes.

3. Pour le cœur de figue, mixer tous les ingrédients.

4. Préchauffer le four à 180 °C (th. 6). Remplir de pâte 6 caissettes ou 6 moules à muffin, puis disposer au centre 1 cuillerée à café bien pleine de figue. Enfourner et cuire 10 minutes.

muffins façon tarte au citron

MUFFIN AU CITRON
200 g de farine
150 g de sucre semoule
½ sachet de levure
10 cl de crème fleurette
30 g de beurre
2 œufs
le jus et les zestes de 2 citrons
10 cl de limoncello

CŒUR AU CITRON
50 g de beurre
75 g de sucre
1 jus de citron
1 œuf
10 g de Maïzena

1. Presser les citrons et récupérer les zestes.

2. Mélanger la farine, la levure et le sucre, ajouter les œufs un à un, le beurre fondu, la crème fleurette et le limoncello, puis le jus et les zestes des citrons. Placer la pâte au frais.

3. Pour le cœur, faire fondre le beurre, le sucre et le jus de citron, ajouter la Maïzena et l'œuf, mélanger afin d'obtenir une pâte bien lisse.

4. Mouler des demi-sphères de crème dans un moule en silicone de mélange au citron, laisser congeler 1 heure.

5. Préchauffer le four à 180 °C (th. 6). Remplir 6 moules à muffin de pâte, puis disposer, au centre, un cœur au citron. Enfourner et cuire 10 minutes.

les crèmes anglaises

RECETTE DE BASE
1 litre de lait
8 jaunes d'œufs
200 g de sucre

1. Fouetter les jaunes d'œufs avec le sucre jusqu'à ce que le mélange blanchisse.

2. Faire bouillir le lait, le verser sur les œufs, fouetter.

3. Verser ce mélange dans une autre casserole, cuire à feu doux 10 minutes environ en remuant régulièrement (attention, la température de la crème anglaise ne doit pas dépasser 85 °C). La crème anglaise est cuite lorsqu'elle nappe une spatule en bois.

café (EN HAUT À GAUCHE)
Ajouter au lait froid 2 espressos, saupoudrer de grains de café écrasés.

chocolat (EN HAUT À DROITE)
Ajouter au lait froid 3 cuillerées à soupe de poudre de cacao.

pistache (EN BAS À GAUCHE)
Ajouter au lait froid 1 cuillerée à soupe de pâte de pistache, saupoudrer de pistaches hachées.

vanille (EN BAS À DROITE)
Ajouter au lait froid une gousse de vanille ouverte en deux et gratter les graines.

les chantillys et les coulis

chantillys

nature
50 cl de crème fleurette mélangée à 150 g de sucre, mettre en siphon, laisser refroidir.

Carambar
Chauffer 50 cl de crème fleurette et 10 Carambar, mettre en siphon, laisser refroidir.

fruits
Mélanger 50 cl de crème fleurette et 200 g de purée de fruits (passée au chinois étamine), mettre en siphon, laisser refroidir.

Nutella
Chauffer 50 cl de crème fleurette et 150 g de Nutella, mettre en siphon, laisser refroidir.

réglisse
Chauffer 50 cl de crème fleurette et 4 rouleaux de réglisse, ajouter 100 g de sucre, mettre en siphon, laisser refroidir.

sirop
Mélanger 50 cl de crème fleurette à 10 cl de sirop (menthe, orgeat, grenadine…), mettre en siphon, laisser refroidir.

coulis de fruits

abricot
Cuire 500 g d'abricots, 150 g de sucre en poudre, 1 bouquet de thym citron pendant 20 minutes, mixer. Servir frais.

fraise
Mixer 300 g de fraises fraîches, le jus de 1 citron, 6 feuilles de basilic, 50 g de sucre en poudre, passer au chinois.

framboise
Mixer 300 g de framboises fraîches, 50 g de sucre en poudre, 5 cl de crème de framboise, le jus de 1 orange, passer au chinois.

myrtille
Mixer 300 g de myrtilles, 50 g de sucre en poudre, 10 cl de muscat de Rivesaltes, passer au chinois.

pêche
Plonger 500 g de pêches dans un grand volume d'eau bouillante, les peler, récupérer leur chair, la mixer avec 100 g de sucre et 1 botte de menthe effeuillée.

shopping

VAISSELLE

Mora
13, rue Montmartre 75001 PARIS
01 45 08 19 24
www.mora.fr

The Conran Shop
117, rue Bac 75007 PARIS
01 42 84 10 01
www.conranshop.fr

Le Bon Marché - Rive Gauche
24, rue Sèvres 75007 PARIS
01 44 39 80 00
www.lebonmarche.fr

BHV - Bazar de l'Hôtel de Ville
52, rue Rivoli 75004 PARIS
01 42 74 90 00
www.bhv.fr

Kitchen Bazaar
www.kitchenbazaar.fr

Habitat
www.habitat.fr

Monoprix
www.monoprix.fr

Muji
www.muji.fr

Ikea
www.ikea.fr

FONDS PAPIER

L'éclat de Verre
2 bis, rue Mercœur 75011 PARIS
01 43 79 23 88
www.eclatdeverre.com

TISSUS
Dreyfus
Déballage du Marché Saint-Pierre
2, rue Charles-Nodier 75018 PARIS
01 46 06 92 25

Merci à Akiko d'être venue, à deux, pour affronter la montagne de moelleux… Si ton bébé n'aime pas les gâteaux, on saura pourquoi ! Merci à Stéphanie Huré pour son aide au cours des prises de vue. Merci à GG : tu reprendras bien une petite part !

Pour Hachette Livre, le principe est d'utiliser des papiers composés de fibres naturelles, renouvelables, recyclables et fabriquées à partir de bois issus de forêts qui adoptent un système d'aménagement durable.
En outre, Hachette Livre attend de ses fournisseurs de papier qu'ils s'inscrivent dans une démarche de certification environnementale reconnue.

© Hachette Livre - Marabout 2009
Dépôt légal : décembre 2009
ISBN : 978-2-501-05870-4
40.1117.7/05
Imprimé en Espagne par Graficas Estella